# SPY×FAMILY

KB087962

Vol.

## 11

**Tatsuya Endo**

HAKSAN COMICS

CHARACTER PROFILE
CONTENTS

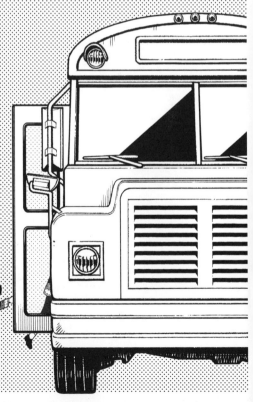

# CHARACTER

**SPY× FAMILY**

## 로이드 포저

관계: 남편

유능한 정신과 의사. 그 정체는 웨스탈리스의 엘리트 첩보원 〈황혼〉으로, 100가지 얼굴을 갖고 있다.

## 요르 포저

관계: 아내

시청에서 일하는 사무직원. 뛰어난 살인 청부업자 〈가시 공주〉라는 두 얼굴을 갖고 있다.

## 아냐 포저

관계: 딸

명문 이든 칼리지 1학년. 어느 조직의 실험으로 태어난, 마음을 읽는 초능력자.

## 본드 포저

아냐의 놀이친구 겸 포저 가의 집지기 개. 원래는 군사연구 실험체로 예지능력이 있다.

## MISSION

오퍼레이션 〈올빼미〉

동서의 평화를 위협하는 위험인물 데스몬드를 찾는 작전.
데스몬드에게 접근하려면 명문 이든 칼리지 학부모 친목회에
잠입해야 한다.

## TARGET

도노반 데스몬드

오퍼레이션 〈올빼미〉의 표적. 오스타니아 국가통일당 총재.

## KEY PERSON

멜린다 데스몬드

타깃 데스몬드의 아내.

헨리 헨더슨

이든 칼리지 기숙사장.

베키 블랙벨

아냐의 친구.

다미안 데스몬드

타깃 데스몬드의 차남.

유리 브라이어

요르의 남동생. 비밀경찰 소속.

## STORY

전쟁을 계획하는 오스타니아의 요인 데스몬드를 막기 위해 웨스탈리스의 첩보원 〈황혼〉은 가족을 만들어 아이를 명문 이든 칼리지에 입학시키라는 명령을 받는다. 하지만 우연히도 그가 고아원에서 데려온 '딸'은 초능력자, 이해가 일치한 '아내'는 살인 청부업자였다!!

그렇게 해서 정체를 숨기고 가족이 된 세 사람이었지만, 그 생활 속에서 로이드는 어린 시절 겪은 전쟁의 기억과 첩보원이 되기까지의 나날을 떠올리고 평화를 지킬 결의를 새로이 다진다. 그러던 어느 날, 요르가 우연히 데스몬드의 아내 멜린다와 친해져, 그녀가 속한 부인회에 초대된다. 로이드는 새로 '엄마친구 작전'을 계획, 아냐는 다미안과 '친구친구 작전'에 본격적으로 임하는데…?!

CONTENTS 11

헉?!

빚을 갚겠다고는
했지만
과자…?
과자 정도로
부모에게 만족한다고?
이권을 달라느니
아버지를
소개하라느니
억지를 안 써서
다행이다…

이 녀석이 혹시
지난번에 손수건
빌려준 걸 구실로
나한테 뭔가
뜯어낼 셈인가…?

엉?!

아냐
너네 집
가고
싶어졌는데~~.

아~
역시 과자는
됐고~.

우리 가족 다 같이

손수건의
보답으로
최종보스를
만날 수
있다?!

너네 집은
데스몬드 가문과
평생 엮일 일이
없는 신분이라고!!

멍청아—!!
너 같은 서민이
가고 싶다고
갈 수 있는
집인 줄
알아?!

……

아냐,
너무 세게 나가면 안 돼!!
처음부터 남자네 집에
찾아가려 들면
경박한 여자로
보일 수 있어!!

ㅉㅉㅉ

음.

8

키잉!!

아냐 어머니 지난번에 차냠 어머니와 사이좋게 차 마셨어.

훗

뭐어~~!

설마?!!

9

아냐가 마침내 가족 단위로 천분을...

다미안 님, 진정 하세요.

뭐뭐뭐, 뭔가 너 내 얘기 들었나?! 못 들었지? 솔직하게 말해, 너!!

아직은 아냐가 리드하고 있다.
(친구친구 대전쟁에서)

아, 하지만 '사이좋게'는 아니었어.

거짓말 아니야, 물어 봐라.

허... 허튼 소리 지껄이지 마!!

뭐?

아뇨, 저는 아직 멀었습니다….

좀 있으면 정치인이나 연예인 같은 VIP 환자도 맡게 될지 몰라.

인맥도 제법 넓어졌다.

정신과 의사로서 기반은 꽤 탄탄해졌고,

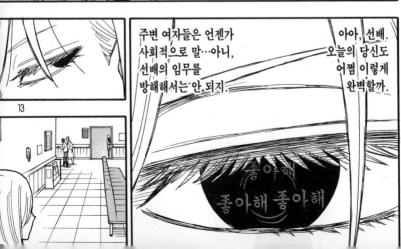

주변 여자들은 언젠가 사회적으로 말…아니, 선배의 임무를 방해해서는 안 되지.

아아, 선배. 오늘의 당신도 어쩜 이렇게 완벽할까.

좋아해 좋아해 좋아해

13

뿌득

뿌득
뿌득

뿌드득...

멜린다 데스몬드와
가까운 환자가
있는지 말입니까?

그래,
비서나 SP,
애국부인회 회원 같은
사람들 중에.

그렇겠죠, 요르 브라이어,

로는.

이제부터라도 제가 아내 역을….

확정은 아니야. 그래서 정보가 필요하고.

요르 씨 본인을 통해서는 그다지 알아낼 수 없을 듯하니까.

흠, 요르 브라이어 가요?

하지만 멜린다는 리스트 중에서도 우선순위가 낮은 인물 아닌지요.

요르 씨가 부인회와 커넥션을 만든 모양이야.

MEDICAL CHART

알겠습니다.

윽….

멜린다가 가치가 있다고 판단될 경우에는 부인회 잠입을 부탁할지도 모르지만.

아니, 자네는 계속해서 서포트를 부탁하네.

부장의 심술 때문에 환자 배정을 못 받고 있습니다.

아니요.

아마 진찰은 무리일 겁니다.

환자 중에 관계자가 없지는 않지만….

아직 실적이 부족해서?

선배도 그 시선을 눈치채셨겠죠? 선배의 호감도가 올라갈 때마다 점점 눈길이 험악해지더군요.

질투…

심술이…

「로이드가 오기 전에는 나를 제일 떠받들었는데!!」하며 연일 푸념한다고 합니다.

인맥으로 올라왔기 때문에 무엇보다도 평판이나 사회적 지위를 중시.

진찰부장 제럴드 고리.

16

먼저 손을 쓴다….

VIP 진료는 그의 재량에 달렸기 때문에 앞으로를 생각하면 일찍 손을 써 두는 것이 좋겠습니다.

이거 젊은 간호사들이 부장님께 전해 달라고 부탁하던데요 (※거짓말)

너무 반감을 사지 않도록 나름대로 신경 쓰고 있지만….

알고는 있었지만… 균형을 잡기가 까다로워.

과연 부장님이세요! 좌우간 대단하십니다!

부장님! 지난번 논문을 보고 깨달음을 얻었습니다! 특히 병사들의 두부외상 이후에 관해…

달칵

알겠습니다.

수배해 주게.

후후후…
내가 보드의
일정표를
고쳐 썼으니까….

거기에
넘어가
줬으니까….

네 속을 시원하게
해주려고…

10시 반일세.
포저 군도
그런 실수를
할 때가 있나?

죄송
합니다
….

맞아,
그렇게
무리하면서
회의에
안 나와도 돼.

네에
….

자네 너무
과로해서 그래,
좀 더 쉬지.

인간
쓰레기.

능력 있는
친구인 줄
알았는데…
실망이야,
포저.

딩一

18

커피
(초강력 설사약 포함)
어떤가?
오후 진료도 힘내라는
의미에서.

수고가
많아,
포저 군.

아,
감사합니다….
(중화제를 만들면
어떻게 되겠지)

여기
자네 자료
정리해
뒀네.

고맙
습니다.

뭐라고…?!
이것들은 내가
1분이라도 지각하면
뒤에서
「전무님 출근」이니 뭐니
빈정거리더니…!!

땅

피오나 군에게
전할 이야기가 있네
오늘 19시에
몰티크 다리에서
기다리겠네♡

로이드 포저

Fiona,
There's something
I want to tell you
I'll be waiting for you
tonight at 7 o'clock at
Moltic Bridge ♡

Loid Forger

어, 뭐지?!
무슨 얘기들이야?!
본인에게 확인해?!
응? 이럴 땐 보통
안 그러는데?!

선배,
제가 저 녀석을
없애 버릴까
합니다만.

처자식도 있으면서
여자를 가지고
놀았다고
소문나는 포저!!
상처 입은 피오나를
위로하는 나!!

후후후,
그 편지는 가짜다.
아무리 기다려도
포저는 안 나올걸.

......

안 돼,
참아.

어?!

어라?!

순전히
가짜라는 걸 알면서
한순간이라도 기뻐한
내가 밉다….

선배의 글씨는
이렇게
지저분하지
않아

꾸깃

빌어먹을…!
하나같이
저런 놈의
어디가 좋다는
거야…!!

선배는
관대하기도
하지…♡

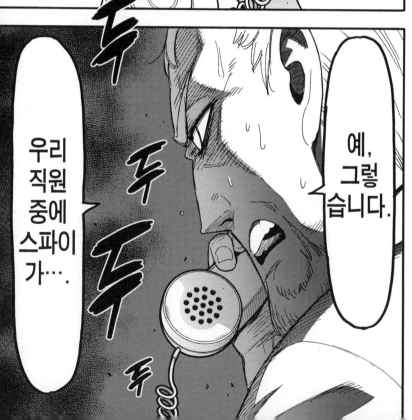

22

로이드 포저.

근속 1년도 안 되는 신입이죠.

저 녀석입니다.

그래서… 저 녀석이 뭘 했지?

수상한 사람들과 어울려 다닌다는 소문도 있고, 우리 병원 정보를 서방으로 빼돌리는 게 틀림없습니다!!

(방)

저는 봤습니다. 저 녀석이 밤마다 보안실을 뒤지는 것을.

(방)

24

이쪽으로 오시죠!

분명 저 녀석의 책상에 증거 서류 같은 것이 숨겨져 있을 겁니다!

내가
가짜 증거까지
완벽하게 만들어서
넣어 뒀거든!!

자,
그 오른쪽 서랍
첫 번째를 봐!!

아니,
거기가 아니라!!
오른쪽 서랍에!!

좀 더 잘
살펴 보시면...

그런 건
없는데?

그…
그럴 리가….

그래—!!
바로
그거야!!

SECRET FILE

—!
이건가
…?!

25

환자 개인 정보나
신약 실험 결과 등의
기밀을
외부로 반출하기 위해
정리한 파일 같군.

드디어
해치웠어!!

으하하하,
해냈다!!

변명은
서에서 듣지.

아니,
잠깐만요.
이건…!!

… 이봐.

28

으하하하,
한번 해 보고
싶었거든!!

수갑까지
채운다는 말은
없었잖아!!

어쩌자는
거야?

선배 선배.

시끄러워, 사람을 갑자기 불러내더니 전화 회선을 해킹해라, 연극을 도와라 한 게 누군데!! 이런 낙은 있어야지!

누가 보면 어쩌려고 그래!!

밀고 전화입니까?

아— 그런데요.

도와.

와, 꽃미남 얼굴이네!

응? 아···.

이걸 봐! 이 서류를 서방에 넘기려고 했지?

전 모릅니다!! 이런 서류가 어떻게···?!

후후후, 너무 원망하지 마라, 포저.

저는 아무 짓도 하지 않았습니다! 대체 무슨 죄로···.

29

네 책상에 있다고 이 사람이 가르쳐 주더군.

어?!

정답이네.

심리 전술에 능한 스파이가 아닐까 해서….

하지만 병원에 들어오자마자 순식간에 주위의 호감을 사는 것이…

그랬던 거야

나…나는 자네를 믿거든?

아니, 이건 우연이라고 할지….

부장님…

게다가 이 서류는…

아니… 저는 새로 들어온 만큼 하루빨리 이 병원에 적응하려고 필사적이었을 뿐이고….

그런 구형을 사용하는 사람은 이 병원에서….

이 글자체는… 52년형 유카로군.

가만 보니 제가 쓰는 타이프라이터 글자와 다른데요?

조사해 보면 압니다.

아니, 이 녀석도 같은 모델을 쓰는지도 모르잖소!

실례지만 당신 이름이 뭐요?

아니아니 아니아니!!

그럼 그거로군!! 이 녀석이 내 타이프라이터를 쓴 거야!! 내게 누명을 씌우려고!!

헉.

철컥

지... 진료부장 제럴드 고리 입니다...!!

라이터

이름이 뭡니까...?

철컥

정치 헌금 수수 의혹 및 진료 보수 부정 청구 의혹 등이....

제럴드 고리.

이 병원 블랙리스트에 올라 있습니다.

...들어 본 이름 이군.

대충 짚었는데 정곡을 찔렸군.

뭐?!!

원장의 이름을 사칭해 파티를 열기도 하고,

어떻게

그밖에도 친구의 고급차를 자기 차인 양 타고 다니기도 하고,

휴식실의 과자를 몰래 먹고는 살찐 부하에게 떠넘겼다는 의혹 등이….

그게

피오나!! 도와줘, 피오나ㅡ!!

잠깐만, 난 아니야!!

내 이름은 왜 불러…?

연행하지.

이 녀석이 진짜 스파이 같군.

이거 형편없는 인간 아냐?

조국을 팔아넘길 만큼 비열한 인간은 결코 아닙니다!!

아니ㅡ 포저 군?! 어어ㅡ?!

부장님은 분명 비품을 멋대로 가져가거나, 심지어 비품을 다른 병원에 몰래 팔아넘기기도 하지만,

잠깐 기다리 세요!!

32

부장님이 있기에 저희는 안심하고 환자들을 대할 수 있는 것입니다!!

모두를 잘 살피고 헤아리는 믿음직한 상사입니다…!

부장님은 저 같은 놈보다 훨씬 인망이 있고 인맥도 넓고,

부장님은 이 병원의 보물 희망의 빛 입니다!! 이에요!!

포저 군…!!

부장님을 체포하려면 차라리 저를 데려 가십시오!!

모두 제가 한 짓 입니다!!

아아, 선배의 눈물을 채취하고 싶어.

꿀꺽

...흥.

그 나이에
그렇게 풋풋한
열정이라니.

싫지는
않군.

둘 다
힘을 합쳐
이 병원을
잘 이끌도록.

블랙리스트
에서는
빼 주지.

그럼
안녕

그런 네가
스파이라는
생각은
안 들어.

좋은
부하를
뒀네.

늘 그렇지만
이 녀석은
캐릭터를
어떻게 잡는
거야…?

제가 힘이 될 일이 있으면 뭐든지 맡겨 주십시오! VIP진료라게나

앞으로도 부장님이 안 계시면 곤란하니까.

진짜 고마워 ~~~!!

으허엉~~ 고맙네, 포저 군!!

덕분에 났어!

아닙니다.

으허헝~~ 자네는 정말 좋은 친구야~~!! 우리 함께 열심히 일하세~~!!

35

좋아, 이대로 제이미한테 가 볼까…!

후후후…

신난다, 선배에게 도움이 됐어…!

역대 최고의 미남으로 변장했기 때문에 갈아입기 싫음

황혼이 만들어 준 변장이라서 갈아입기 싫음

아냐,
「다녀
오셨어요」
해야죠.

아버지
다녀왔어—.

다녀
왔어요.

위험하다.
무슨 수를
써야지!

어머니의
플랜 C에
뒤처진
건가…?

휴…
병원 문제도 해결됐고,
이제 조금은 플랜 C의
기반을 굳힐 수 있겠군.

헉…

소녀는
고뇌
했다.

'친구친구'란
무엇인가.

SPY×FAMILY

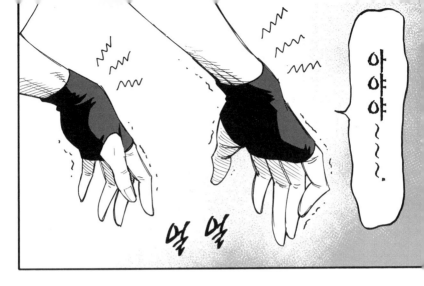

아야야~~~.

얼 얼

# SPY×FAMILY

## MISSION:68

손목을
다쳤다고요?

알어나너
퉁퉁
부었네요

괜찮
아요?

복대
감았슴!!

네,
어제 잘못해서
시청 방화문을
때리는 바람에….

야후―☆ 누나― 심심해서 놀러 왔어―☆

오늘 하루만 쉬면 나을 거예요.

유리!!

아니에요

로띠 너! 누나의 귀여운 손목에 무슨 짓을 했어―!!

으음? 어떻게 된 거야, 왜 다쳤어?!

아니에요.

미안해요, 매번 이렇게….

미… 미안해 누나…!!

아야야야.

로띠 너! 손이 불편한 누나 대신 얼른 식사를 준비해!!

애초에 항상 아버지가 하는데.

……

저는 늘 로이드 씨의 상냥함에 응석만 부리고….

정말 아무리 감사를 표해도 끝이 없네요.

42

감사

상냥

응석

성큼 성큼

팍

44

두

아….

아…

두

아―.

후아….

두

두

야,
치와와
꼬마!
네가
먹여 줘!

어쩌라는
거지,
이 녀석은
….

우오
오
오

오

안 돼―!
역시 안 돼―!
내 눈이
시퍼런데
아―라니!!

맛있어?

네,
참 맛있네요♡

아—.

고마워요♡

어머니
아—.

이봐…
층간소음…

제기라아아알!!

탕탕탕

제기랄—!!!

둘 다 정말
고마워요.

아니,
승부고 뭐고
내가 다 할 건데.

요리는!!
뒷정리가
제일 힘들어!!
설거지로
승부를 내자!!

안 돼,
승부를
내!!

쓰레기를
누가 더 빨리
정리해서
내놓는지
대결하자!!

하나밖에
없는데
어떻게…

그렇다면
목욕탕
청소로
대결이다
아아!!

아…안 돼요,
부끄러우니까
제 빨래는
건드리지
말아요!

빨래로
승부를
내자!!

전구
갈기!!

가구
수리!!

회람판
돌리기!!

일부러
져 주면
빨리
끝나지
않을까…?

일부러
봐주지 마!
다 알아!!

다음은
가계부
정리다!!
(서류작업
이라면
나도!)

시끄러워서
숙제를
못 하겠네.

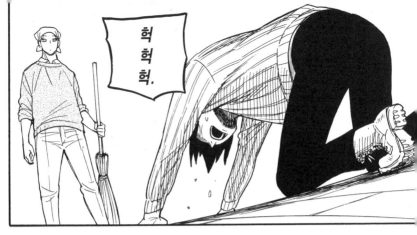

누가 더 싸게, 더 빨리, 더 좋은 물건을 사오는지.

마지막 승부다, 로이드 포저.

장보기 결전!!

누나, 필요한 물건의 목록을 모두 적어 줘.

이제 그만 좀...

어머나, 유리!

우오오오오!

슈파파파파파파

챠챠챠

준비―

땅!!

각오는 됐나, 로이드 포저.

49

조심
하세요.

다녀
오겠
습니다.

나 원
….

돌아오는 길에
쿼덤 거리에서
접시와 잔을….

4번지 슈퍼가
특가판매일이니
우유 같은 건
거기서 사고.

세제와
쓰레기봉투는
늘 가는
잡화상에서.

…

이 근처에서
가장 싼 세제는
어디서 팔지?

…?!
?!

뭔데?
난
아무 짓도
안 했다고.

어…
어서 와,
유리 형님.

이봐,
밀고꾼….

그리고 우유나 접시를 잘 아는 정보 제공자를….

형님 …?

헉헉.

삐걱

슈바빠 빠 빠

으하하하하.

EDGEWOOD
PAISEN
ELEGANT IRON
OH SSHI

다녀왔어, 누나!!

보안국의 힘을 얕보지 마라, 로띠!

52

제기라아알!!

어서 와, 유리 군.

으윽, 나는…

나는 이제 누나에게 필요 없는 사람이구나….

로띠만 있으면 행복한 거야… 으으….

53

어머.

WHISTLE CANDY

이 사탕 오랜만에 보네~~!

휘파람 사탕!

내가 더
진심으로
누나를
도울 수
있다고!!

그렇지?
내가 우리 누나를
더 잘 알아!!

누나에
대해서는
뭐든지
아는군.
나는 아직
멀었어.

과연
유리
군이야.

으헤헤헤.
그럼—!!

너 같은
놈에게
질 줄 아냐,
바보
똥개야—!!

55

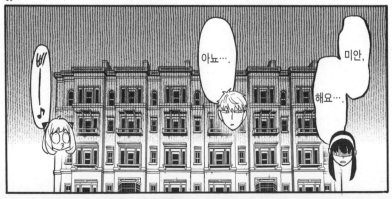

아뇨….

미안,

해요….

SPY×FAMILY

# MISSION:69

# SPY×FAMILY

10시에는
베를린트 박물관에
도착할 예정이다―.

어허, 너무 떠들지 말고─.

와글 와글.

시끌 시끌.

흥, 유치한 이벤트잖아.

그렇지도 않아요─. 공룡 뼈도 보고 즐겁잖아요─.

아니, 미라가 최고지, 미라!

나드리다, 나드리♪

소풍이 아니야, 아냐. 사회과 견학이지.

60

1학년 전체 이벤트라서 그렇죠.

그보다 왜 이따위 서민적인 교통수단으로 이동하는 거지?

하다못해 한 학급당 한 대는 돼야지, 쪼잔하게―.

하하하, 무슨 일이든 경험이 중요한 거야. 총재의 아들 다미안 군.

다른 반 학생과도 친교를 나눌 수 있는 기회잖아.

너도 참 무례하기는.

시끄러워, 4반 주제에 말 걸지 마.

……

으음, 좋다. 그럼 박물관에서 누가 공룡 이름을 더 많이 맞히는지 내기하자!

다른 반은 모두 라이벌이야.

친해질 필요 같은 거 없거든―.

헉… 스파이 친목 사기꾼…!!

이걸로 부장과의 관계는 양호해지겠지.

친구친구 작전… 아버지를 흉내 내면서 열심히 해야지…!!

67화

키잉!!

작전의
흐름.

62

돼먹잖은 녀석일 뿐.

차남은 못생긴 것이 아닙니다.

훗... 너희 집에 데려가라.

으앙－ 고마워요, 아냐 님－!!

그래, 돼먹잖은 녀석일 뿐이란 말이지. 그럼 됐다.

툭툭

휙

으엉?

－라는 작전!

완벽해

못생겼다고 말하길 기다리는 얼굴

슈 파

짜 악

갸믹.

작전 실패….

뭐 하니, 아냐?

뭐야, 저 녀석은…? 내가 빚을 안 갚아서 화난 건가…?

얼른 과자나 줘서 입을 막을까?

PRIMIUM

COOKIES

CRISPY

부스럭

맛있다—! 이거 진짜 맛있네요, 다미안 님!

다 같이 먹어요!

아, 다미안 님. 간식 가져오셨어요?

어… 아니, 이건….

냠냠냠

난 이거— 처칠 캔디 싸 왔다? 이 캔 예쁘지 않니?

아냐는 무슨 간식 가져왔니?

시끄러워—. 난 안 먹었어!

마카롱 나눠줬잖아—!!

내가 왜 너까지 줘야 하는데!

아냐는…

너무해

평소랑 똑같네.

짠!!

S SIZE

PEANUTS

SALT FLAVOR

땅콩!

편식하면 못써, 아냐.

짠!!

S SIZE

PEANUTS

CHEESE FLAVOR

땅콩!!

그리고….

파지직

비ㄷ지직

슥륵...

털썩...

억....

꺄아아아악.

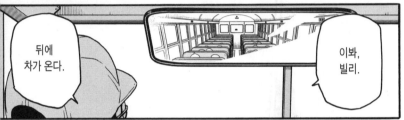

72

침착해,
모두들…!!

!

걱정 마,
꼭 우릴
구하러
올 거야!

너희들
부모님 중에는
높은 사람들도
많고,

우리 아빠도
육군 사령부에
계셔!

분명 지금쯤
군이 움직일
거야!

실례했
습니다!!

헉.

닥쳐라,
애송이.

…이 자식, 굉장하네…!

후우~~.

응.

그…그래, 괜찮을 거야.

스으——

아후 ….

진정 됐어?

너희가 높은 양반들의 자제들이라는 건 이미 알고 있다.

그렇지? 왓킨스 소령의 아드님.

움찔

데스몬드 총재의 아들도.

블랙벨 CEO의 딸도,

중앙은행 임원 아들도,

가넷 부의장의 딸도,

깜짝

특권의 요람에서
태어난 너희들이니
얼마나 금이야 옥이야
자라났을까.

대단
하신
신분
이지.

명문
이든
학생.

그러니
인질로 가치가
있는 거다.

놈들이
순순히 요구를 들으면
너희들은 사지 멀쩡한
몸으로 귀가해서
언제나처럼 호화로운
저녁 식사를 하게 되겠지.

우리는
너희의 목숨을
방패로
정부와 협상할
예정이다.

부디
아빠 엄마가
위에다 손을
잘 써 주기를
떨면서
기도해라.

…검문은 깔린 모양이지만 아직 발견하지는 못한 듯합니다.

…황혼 녀석을 보낼까요?

경찰 무선은?

무리다. 그 녀석은 지금 바이안 지방에서 잠입 공작 중이라 당장은 못 돌아와.

우리가 어디 있는지 알아야 구조를 하러 올 것 아냐.

…그보다 이 버스는 어디로 가는 거지…?

부우우웅

소곤 소곤

일단 정보를 수집하며 뒤에서 경찰을 지원할 것.

예!

응?

파펠 궁전공원…!!

굉장하다, 아냐!! 그런 것도 할 줄 알아?!

저 녀석들 입모양을 읽었어…!!

아… 저기… 응… 그건….

스… 스파이 애니에서 배웠어.

응? 거기가 어딘데?! 어떻게 알았니, 아냐?!

이 버스, 파펠 공원 이라는 곳으로 가고 있어.

진짜야?!

…그랬다간 저 녀석들이 총으로 쏠 것 같고… 음….

음… 어떡하지? 다 같이 몸으로 글자를 만들어서 지나가는 사람에게 보여 주나?

그럼 이제 어떻게든 밖에다 그걸 알리면 구조대가….

아…아무튼 거기로 간다고 했어.

아마

SCHOOL BUS

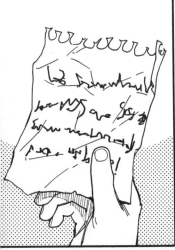

We know where the bad guys are going! So we need to tell our rescuers! It's our only hope.

범인의 목적을 알아냈으니까
밖에 알릴 거야!
도움을 받으려면 그 수밖에 없어!

87

내가 저 녀석들의
눈길을 끌 테니 그 틈에!

다미안
님...?

맡겨 둬,
비장의 한 수가
있어.

아니,
뭘 하려고
...?!

쌀 것
같아
...!!

...지금
당장
똥

이것 봐 봐!
난 배가 아프면
눈꺼풀이 이렇게
파들파들...

여기
여기

...이든이
언제부터
바보 집합소가
됐지?

아냐와
같은 레벨
이었어...?!

디
—
잉

아차,
이 틈에
얼른...!!!

부
웅

라이징
호프—!!

SCHOOL

아냐!!

덜
컥

위!!

부

SOS

Save us! Our bus has been hijacked. Whoever finds this, tell the police and Blackbell right away!

88code 8814

이건...!!

—아니, 잠깐!

이건 이든 칼리지 학생증 아냐?

쓰레기를 창밖에 버리다니, 저 학교는 애들을 어떻게 가르치는 거람?

하여간

부 우 우 웅

찰 찰 칵 칵

우욱.

화 악

아우.

잠깐 만요!!

뒤 뒤 적 적

성 큼

성 큼

블랙벨 사의 정보에 의하면 범인은 여러 명,

〈붉은 서커스〉 멤버로 봐도 틀림없을 듯합니다.

버스는 현재 1호선 도로를 북상하며 파펠 공원으로 향하는 중이라고 합니다.

**MISSION:71**

다소의 희생이 발생하여 경찰이 체면을 구기든, 언론이 악을 쓰고 떠들든…

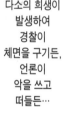

정부의 권위에 도전하는 놈들은 티끌만큼도 존재해서는 안 돼.

우리 보안국은 범인 제압이 최우선이다.

없애 버려, 사람도 정보도 모두.

......

선와와 꼬마…?

중위님! 치와와 꼬마가 탄 버스가 납치 당했다고요?

아니, 이 친구한테 누가 말했어?

으… 알고 있습니다.

시청에도 알리지 말고.

너는 현장에 나오지 마! 네 조카가 얼굴을 알아볼 테니까.

…그래.

로띠의 딸이 어떻게 되든 알 게 뭐야.

차라리 없어지면 속이 시원하지.

누나도 그러는 편이….

...안
돼...

얌전히
있어!!

중위님!!
중위님―!!

코드 8814!!
코드 8814!!

BB Co.

물론
거짓말
이지.

헉.

파

파

후

그래도
말썽을 피우면
최후의 수단을
쓰는 수밖에.

죽기
싫으면
얌전히
있어.

화약이고 뭐고
아무것도 없는
위협용 도구일
뿐이지만
어린애를 속이기엔
충분할 거야.

휴

아냐는 어쩜 이렇게 강철 멘탈 이지─!!

아~~~ 어쩐지 배가 고파지네.

마음이 놓이니까

휴─. 놀라게 하고 있어.

목에 폭탄을 달고 어쩌면 저렇게 멍청한 얼굴을 할 수 있지? 아, 멍청한 건 늘 그렇지만…. 아니, 내가 무슨 소릴 하는 거야? 정신 차려!!

제… 제정신인가, 이 녀석? 미친 거 아니야?!

굉장해, 아냐 님. 너 무지 거물이다!! 우리 아버지를 소개할게!!

사실은 굉장한 녀석인가?! 암살자로 키워진 여자애라거나?!

플랜 B

저 꼬마 머리가 날아가도 좋아?

…또 너냐?

응?

…한테 달아.

풀어서 내 목에 달라고!!

저 녀석의 폭탄,

나는
국가통일당
데스몬드 총재의
아들이다!!

반에서도
인기 최고고,
인질로
나무랄 데
없을 거야!!

무슨
말씀이세요,
다미안 님!!

인기
최고
...?

나한테
달아!!

언젠가
정치인이 되어
이 나라를
지킬 거야!!

그래,
나는 데스몬드가의
아들 다미안!!

아버지도
전쟁 중에
수많은 적과
싸웠어!!

나도…
나라도…!!

…….

차남….

그 패기를
봐서….

배짱이
대단하구나,
애송이.

너도 채워 주마.

다다다, 다미안 님…!!

하… 하하하.

평등이 우리의 이념이다.

어…?

너 진짜아아아!! 그아아아아아!! 으이이이이이!!

세엑

커플룩♪

제길,
내가 왜 이딴 녀석을
대신하려고 했지?
제길 제길 제길!!

그래,
위에 서는 자는 모든 국민을
평등하게 도와야 하는 거야.
이런 바보라도 예외는 아니지.
아버지도 그렇게 고생하셨을 거야.
나는 틀리지 않았어.

아냐,
침착하자.

머리가 날아가서?
머리가 없으면
암만 그래도
정치인이 될 순 없겠지?
공부도 축구도
다신 못 하는 거지?

테러리스트의
기분 하나에…?

아니,
근데 침착하게
생각하면
이건…
나 죽는 거야…?

107

침착하자,
침착해.
울지 마,
나.

죽고
싶지
않아.

무서워.

어떡
하지….

아버지,
어머니.

무서워.

오줌
싸 버릴 것
같아.

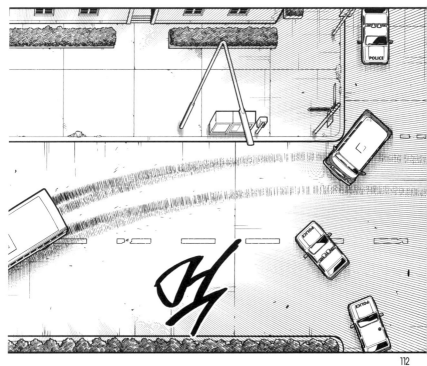

**SPY×FAMILY**

저 녀석들 짓 아니야
…?!

제길…
어떻게 우릴
앞질러서
왔지…?!

아니,
우리 목적지를
알았을 리 없어.

범인들에게 알린다!!
너희들이
이든 칼리지 버스를
납치했다는 것을
알고 있다!!

베를린트
경찰
이다!!

무기를
버리고
신속히…

제길
….

이 타이어로는
무리야!

돌파할 수
있겠어?

쳇…
인질이 있다고
안심할 수 있는
상대가 아니군….

빌리!
저쪽에는
보안국도
출동했어!

이 천으로 창을 가려.

헉!

철컥

야, 꼬마들.

빈틈이 보이면 쏴 죽여 버린다.

꽉꽉 잘 막아.

저격도 불가능하군.

내부의 상황을 알 수가 없어…!!

칫

버스에 암막이…!!

!!

부스럭 부스럭

철컥

!!

아니, 버스
문이….

무의미한
저항은
그만두고
순순히
투항하라.

화
악

119

안에 있는 학생도,
다른 한 대의
버스에 있는 학생들도
모조리 길동무로
삼아 주겠다!

우리한테
손만
대 봐!

……!!
목적이
뭐냐?!

슬렁

저건
뭐지…?!

폭탄
…?!

우리
요구는
두 가지다.

첫째,
수감되어 있는
〈붉은 서커스〉
동지 17명의
석방.

둘째,
그들을 포함한
전원의
노르티카 망명.

브란버로우 비행장에
비행기를 대기시키고
전원이 모이면
그곳으로
이동시켜라.

동지 한 사람당
학생 다섯을
풀어 주겠다.

경찰은
빠지게.

제길,
어떻게
하지….

기다려,
아직
이야기가…!

쌍방 모두
평화롭게
마무리할 수
있도록
노력하자.

탕

끼
익

아니, 댁들 마음대로는 안 돼!! 인질의 안전이 최우선이다!!

돌입팀 준비시켜.

테러리스트와 협상은 없다.

저 녀석들은 우리 관할이야.

...보안국 나리들이 뭐 하러 납셨나?

쳇

너희들은 고작 수십 명의 시민을 위해 전 오스타니아 국민의 생명을 위험에 처하게 할 텐가?

테러리즘에 굴복했다는 것이 알려지면 서쪽 녀석들이 기어오르게 된다.

너희 경찰에게 시민을 지킬 의무가 있듯이

우리 보안국은 이 나라를 지킬 책무가 있다.

121

협상에 희망을 걸고 있다면 소용없을걸.

흥….

위에서 대기명령이 내려왔단 말이야! 멋대로는 안 돼!

……

수감 중인 멤버는 대부분이 이미 이 세상 사람이 아니니까….

시간을 벌어서 이 녀석들의 부모가 정부에 압력을 넣기를 기다리자.

시간제한을 두면 보안국 놈들에게 강행 돌파할 구실을 주게 돼.

이봐, 빌리! 더 세게 나가야지!

「해가 질 때까지 응하지 않으면 학생을 하나씩 죽이겠다!」 라거나 말야!

움찔

무슨 소리야, 총재의 아들 다미안! 그 자리에서 울고불고 하지 않은 것만으로도 너는 참으로 늠름했어!

이러다 아버지께 누가 된다면….

제길, 어떻게든 해야 하는데….

중얼 중얼

윽… 추한 꼴을 보였어….

괜찮 으세요, 다미안 님…?

그렇습니다, 다미안 님!

저희 부모님도 조금은 믿음직하니까요!

보호를 받는 것은 전혀 부끄러운 일이 아니야.

......

우리는 아이야. 힘이 없다고.

이제 어른들이 와서 도와주기를 기다리자.

무슨 실례를!!

너 사실은 속에 아저씨가 들었지…?

확실한가?

그거 말인데요, 〈케밥〉 녀석이 그 비슷한 버스가 113호선을 따라 남하하는 걸 봤답니다.

하지만 나머지 한 대가 아직 소식불명이니 섣불리 움직일 순 없겠지.

아냐 양이 탄 버스는 1호선 도로에서 경찰이 붙잡은 듯하다.

그런 모양이다.

뇔레는
폰텐 스쿨버스
일 테니
제외하고.

뇔레와
케르브에서
각각
목격됐다고?

이 길을
지나갔다면
킹하우스
방면으로
갔을 거야.

그래,
이든 칼리지
스쿨버스.

그 앞은 검문이 있고
장시간을 스쿨버스로
돌아다니면
너무 눈에 띈다.

20분 전
테일 다리를
마지막으로
목격 정보는
끊어진
듯합니다.

OK,
동료들한테
물어볼게요.

그렇다면
버스를 탄 채
이 부근에
잠복해 있을
가능성이….

어린애들을
40명이나
데리고 있으니
차량을 옮기기도
상당히
번거로울 테고.

이 잡듯이
뒤져
주마…!!

뿌득

대위님! 본부에서 연락입니다.

쯧… 정치가의 개가.

아무래도 강경책에 난색을 표하는 1과의 개입도 있는 듯하고요.

차량 B의 단서를 얻은 모양인지 발견할 때까지 A팀은 대기하랍니다.

이거 지구전 이군.

SCHOOL BUS

……

꼼지락

꼼지락

저요저요!! 가고 싶어요!!

그… 그래도 저는 이제 한계입니다!!

저런 곳에서…?

으윽…

차악

저 중앙분리대에서 보게 해 주마.

볼일이 급한 사람은 말해.

다만 한 사람씩이다.

다미안 님에게 폭탄이 달려 있는데 내가 왜 도망가!

도망칠 생각은 마라.

다시 나왔습니다.

!

SCHOOL BUS

그만둬. 범인들 전원이 함께 있을 때가 아니면 골치 아파진다.

저격할까요?

쉬이—…

억….
그래도 이건
확실히
굴욕이다….

창피해

부모에게
감사해라.

이 정도를
수치로 생각한다면
너희들은
복 받은 거야.

주인님,
위험하니
차에서 나오지
마세요.

아아아아.
우리 베키
어딨니—?!

마사?!

나는 블랙벨 CEO야!!

민간인은 여기서부터 출입금지 입니다.

·····

우리 반 아이들 일이니 당연하지.

헨리! 여긴 어떻게···?

나도 방금 도착한 참일세

정부 대응을 기다리며 대치 중이지.

아직 안에 있네.

학생들은 어때?

당신이 있어 봤자 아무것도 못하잖아.

빠 아 아 아

이렇게 오래 끌면 체력적으로도, 정신적으로도 아이들이 버텨낼 수 있을지···.

평의회의
대답은
아직인가?!

그리고
인질의 안부를
확인하고 싶다!
물과 먹을 것을
전달하게 해 줘!

지금
프레빗 교도소에
수감 중인
3명의 재소자가
필요한 절차를
밟고 있다.
조금만 더
시간을 달라!

다만
운반하는
인원은
한 명이다.

경찰은 안 되고,
학교 관계자가
가져와.
어차피 뒤에
와 있지?

…좋다.

응.

경감님! 제가 교사로 변장해서 가져가겠습니다.

차 안에 야전식량을 실어 뒀으니 그걸로 하세요.

무슨 말도 안 되는 소리세요? 범인의 반감을 살 뿐입니다.

우리 집 셰프의 최고급 요리를 전달해야겠군.

잠깐! 만에 하나 발각되면 어떻게 할 셈인가.

그래야 학생들도 안심할 걸세.

내가 가지.

132

달각

!

덜컥 덜컥

BB Co.

BB Co.

BB Co.

BB Co.

가만 있어, 꼬마들!!

으아아앙, 선생님~~!!

다들 무사한가?

헨더슨 선생님!!

걱정 마라, 반드시 살 수 있으니.

이든 학생이라면 어떤 때라도 의연한 태도를 취해야지.

다들 침착해라.

이런 늙은이라면 위협도 안 될 테니.

그러면 대신 내가 남지.

튜터!!

죄… 죄송합니다, 핸더슨 선생님…. 제가 있었는데도….

......

안 돼, 귀중한 인질이야.

이 사람을 병원으로!!

저 바보가 무모한 짓을…!

이런 잔인무도한 …!!

미스 포저 에게도….

경찰이 말한 목의 폭탄이 저것인가…!!

앉아 있어.

—!!

이 무슨 강철의 정신—!!!

와— 아냐 마침 배고팠어.

이봐, 허락 없이 말하지 마.

물과 식량은 다들 받았나?

넘기기 어려울지 모르지만 잘 먹고 체력을 보존하도록 해라.

이 녀석은 진짜…

바삭 바삭

당!

농담이 아니었단 말인가…?!!

맨몸으로 정글을 헤치고 죽음을 마주하는 시험을 거치며 정신을 단련합니다.

디딩

야, 그럼 우리도 날아가잖아.

세계를 지락벼락하는 베키네 집에서 구하러 왔어?!

아빠 엄마가 분명 와 준 거야!

쥐락펴락하진 않지만 아주 힘이 세!! 전차 같은 걸로 다 날려 버릴 거야!!

아.

BB RATION

B UNIT

이거 우리 회사 상품이야…!!

어라….
왜들 이렇게
긴장감이
없지…?
내가 굳이
필요
없었나…?

맞아ー.
남이 주는 걸 갖고
투덜대기 없기ー.

그러게요ー.
맛은
없네요.

맛이
없네….

맛이
있지도 않고
없지도
않고.

이럴 때
사치스런
소리하면 못써!

자네,
아이가
있나…?

…딸이
하나.

아무 죄 없는 아이들을 이렇게 말려들게 하고.

내 딸은—

자식을 걱정하는 심정을 이해한다면 당장 학생들을 부모님 곁으로 돌려보내 주지 않겠나.

정부에 살해 당했어.

사회적 약자를 보호하기 위해 목소리를 높였을 뿐이었지.

〈붉은 서커스〉는 자유와 평등을 노래하는 학생운동에서 시작됐다.

교사라면 당연히 알고 있겠지?

⋯⋯.

동지 였지.

정부는 폭력으로 굴복시켰어.

정당한 주장을 정당한 수단으로 외쳤을 뿐인 학생들을

체제 쪽에 선 놈들은 여러 소리를 할 자격이 없다.

자기들이 뿌린 씨라는 것을 깨우쳐 주겠어.

버스 타이어 자국…!!

# MISSION:73

아버지인 자네도
보안국이 감시를
하고 있어.

서커스가
도와줄 테니
해외로
도피하도록….

안됐군, 빌리….
시체라도 찾은 것이
다행일지도
모르지만.

143

색

색

......

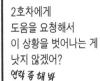

2호차에게
도움을 요청해서
이 상황을 벗어나는 게
낫지 않겠어?
연락 좀 해 봐

쯧….
언제까지 이러고
있어야 하는데.

위치 파악을
막기 위해서도
통신은
자제해야 돼.

현재
그쪽 인질이
가장 중요한
카드니까.

먹을 만큼
먹은 아저씨가
아이들을 방패로
숨으려 들어?

—윽,

어른
답지—

가만히
있어!!

아파!!
좀 살살 해!!
살살!!

젠장,
재수 더럽게 없네!!
내가 왜 치와와 꼬마
같은 것 때문에
이렇게 아파야 해….

남자는
동기 부여가
약할 때의
부상에는
형편없이 약했다.

살살
하라니까,
으아아앙―!!

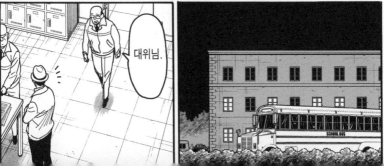

대위님.

버스 B가 제압 됐습니다.

그쪽 인질은 전원 구출에 성공한 듯합니다.

그래.

…그렇 습니까.

예, 알겠습니다.

윗분들이 무거운 엉덩이를 들어 줄지도 모르겠군요.

흠… 일단 '평화적 해결을 시도했다'는 변명거리는 만들어 둬야겠군.

신속하게 해결하겠다고 약속하지.

협력에 감사한다.

자네들에게 지휘권을 넘기라는 명령이 내려왔다.

위임장에 사인해.

아, 아—.

들리나, 서커스 제군.

!!

다른 버스
한 대의
너희 동료들은
전원 사망했다.

파펠 공원에서
도망친 놈들도
시간문제다.

참으로
어설픈
계획이었군.

같은 말로를
걷고 싶지 않으면
순순히 투항하지
않겠나.

새벽까지
기다려 주마.
잘 생각해라.

151

웅
녕

웅
녕

웅
녕

쉽게
포기하면
안 돼!!

실패…
인가….

그래.
무슨 잠꼬대야,
빌리!!

제기랄
제기랄
제기랄!!

말도 안 돼,
제기랄…!!

……

이대로 있으면
당신 딸도
눈을 못 감을
거야!!

동지를 구출하고
서커스를
부흥시켜야지!!
이 썩어빠진 나라를
때려 부숴야지!!

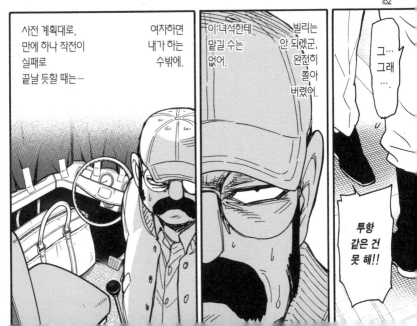

사전 계획대로,
만에 하나 작전이
실패로
끝날 듯할 때는—

여차하면
내가 하는
수밖에.

이 녀석한테
맡길 수는
없어.

빌리는
안 되겠군,
완전히
쫄아
버렸어.

그…
그래
….

투항
같은 건
못 해!!

인질과 함께 버스를 폭파한다!!

!!

… 리겠어.

짝 짝

아바 바바.

이렇게 된 이상 놈들이 돌입하는 순간 모두 날려 버리고 한방 먹여 줄 테다!!

본래는 평의회 청사에 돌진할 생각이었지만…

진짜 폭탄…?!

?!

ㅋ

ㅋ

국가에
기생하는
빈대들.

다 죽여
버리겠어.

154

놈들이
순순히
응할 거라
생각하나?

잠깐만,
아까는 새벽까지
유예를 준다고….

돌입 준비를
시작해라.

보안국
위병중대…!!

더 이상
저 정신 나간
멍청이들 장단에
놀아날 순 없어.

야음을 틈타
급습한다.

인질은
가급적
다치지 않게
할 것.

각 팀,
위치로.

예!!

어떡하지?
이대로 있으면
모두들 쾅—
해 버려…!!

빠지직

비밀경찰
사람들이
다가오고
있어…?!

어…
야…?!

아, 여보세요?
이든 칼리지인가요?

저기,
1학년 3반
아냐 포저라고
하는데요.

네, 그렇습니다.
저… 저희 따님?이
아직 집에
돌아오지 않아서….

**MISSION:74**

아,
여보세요! 혹시
샤론 씨
번호가
맞나요?

…….

털썩…

…그런가요,
알겠습니다
….

아…
하지만
….

외부
견학이
길어
져서?

어머.
무슨
일이세요,
선배?

벌떡
안절

벌떡
안절

찰칵

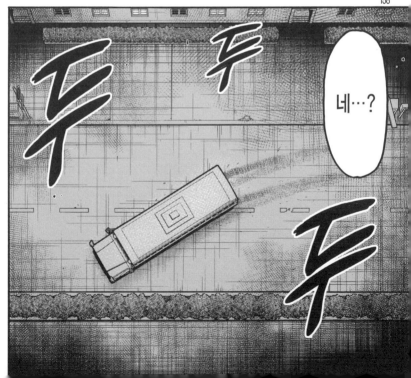

돌입
준비!

상황에
따라서는
모두
죽여도
상관없다.

가능하면
주범
빌리
스카이어는
생포할 것.

돌입만 해 봐,
버스째 가루로
만들어 버릴
테니까…!!

어떻게든
하지 않으면
투쾅—
해 버리는
거야…?!

159

뭐야?
화장실?

이따 해.

으으음
....

아니야, 말 못해!

뭐라고?!
제길,
그럼 당장
투콰─
할 테다!!

좀 있음
우락부락맨들이
도착하니까
그전에
기브 업 해!!

나서긴
했지만
뭐라고 해야
되는지
모르겠어서
대위기…!!

...저기
....

왜…
왜 그러나,
포저?
자리로
돌아가게.

투콰─앙

비디…?!

지금도 고통받는 사람이 얼마나 많은데!!

…닥쳐….

시고러워….

안 괜찮아. 이대로 있다간 모두 대위기.

괜…괜찮아, 한 끼 거른다고 죽지는 않는다네.

응?

설령 내가 죽는다고 해도….

포기 못 해.

이대로 두면 겨울을 못 넘기는 사람들도….

친구들은 그렇게 배고프지 않을 줄 아네만?

무슨 소리야, 빌리! 제정신 이냐?!

내려!! 너만 풀어 주마!!

서…설령 아냐가 죽….

그만 둬!! 아우 너는 이제 닥쳐!!

무슨 소린가, 포저! 제정신 이냐?!

뭐? 안 내린 다고?!

이 녀석이 있으면 각오가 흔들려…!!

윽….

안 내려 …!!

그렁

아냐가 있으면 나쁜 짓 그만두고 싶어져…?

164

풀어서
내 목에
달라고!!

저
녀석의
폭탄.

이 녀석들은…!!

너희 특권 계급은
자기만 안전하면
그만이잖아!!
그런
인간이잖아?!

당장
내려!!

다미안 님에게
폭탄이
달려 있는데
내가 왜 도망가!

도망칠
생각은
마라.

아까 그거
다시 한번
먹고 싶어!!

싫어어
어어어!!

띠———임

못
얻어먹고
사는
건가…?!

집에서
그토록

그보다
내리면
엄마조차
맞을 수 없는데.

그 맛없는 걸
그럴거나….

이 녀석은
설마….

나… 나는 언제부터 이든 학생들은 모두 부유하다고 착각했던 건가…

폭탄으로 죽는 것보다 집에서 굶어 죽는게 더 무섭단 말이야…?!

내가 국외에 잠복해 있던 사이에 오스타니아의 경제가 그 정도로 기울었나?! 사실은, 이 녀석들 모두 겨우겨우 먹고 사는 처지였나?

모두 대위기라고 했지?! 모든 아이들이 그렇다고?! 데스몬드 가도?! 야당이 되자 그 정도로 몰락했단 말이야…?!

너희 반 녀석들이 협박이라도 해…?!

어째서… 어째서 그렇게까지 해 가며 모두의 식량을…?

머리가 날아갈 것까지 각오하고 모두를 위해…?!

그리고 이 녀석은

어…? 저기….

167

이런 나를
자랑스럽게
생각해.

분노를…
살아가는 의미를
풍화시키고
싶지 않아서
잊어버린 척하고
있었어.

아니,

잊고
있었다….

얼른…

망설일
틈이 없어,
빌리!!

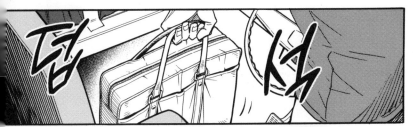

!!

빌리?!

전 대원
정지.
X─1이
나왔다.

그래도
멈출 수는
없었다.

〈붉은 서커스〉의
방식이
틀렸다는 것은
알고도 남는다.

아니,
왜?!?!

돌아와!!
당장!!

장난하는 거냐,
빌리!!

173

장난해?
장난해?
장난해?

...윽.

나머지
두 사람은
협박에 따랐을
뿐이니
선처를
부탁한다.

모든 것은
나 혼자
계획했다.

장난하는 줄
알아?
제기랄!!

그만둬,
바짐!!

장
갑
차
!!!

제기랄,
제기랄…!!

키리리락

키리리락 쭉쭉

좌앙

콰과

꽈

가

가

아바바
ㅡ!

하우?!

떡

떡

내가
잡힐 줄
알아?!

아냐!!

포저!!

어라라ㅡ.

꽈ㅏ

SCHOOL

아악

176

속보
입니다.

오늘 아침
이든 칼리지 학생들을
태운 버스가
자신들을 〈붉은 서커스〉라
칭하는 조직에 의해
납치, 감금되는
사건이 발생.

치안당국은
이를 신속히 제압,
범인은 전원
검거되었습니다.

인질로
잡혀 있던
학생들도
부상자
없이….

댕그랑

댕그랑

댕그랑

쩌벅

쩌벅

쩌벅

끼이

...

4명,
앞으로.

181

저벅

**MISSION:75**

월드 기숙사
1학년
빌 왓킨스.

다미안
데스몬드.

베키
블랙벨.

세실 기숙사
1학년
아냐 포저.

또한 의연한 태도로
서로를 격려하며
한 사람의 희생자도 없이
위기적 상황을 이겨냈다.

제군은 지난번
버스재킹 사건의
신속한 해결에
지대한 공헌을
하였으며

그
용기와

지혜와

정신을
높이
기려—

우와~~
~~~~.

그렇지 않습니다,
다미안 님!
'나 똥 싸 작전'이
사건 해결을
이끌어 낸 거예요!

나는 딱히
받을 만한 일도
안 했는데….

홋…
당연한
결과.

나도
나도!!

헛 스텔라!!
감개무량
하다~~!!

그만해.

184

듣자니까!
신문사에서
취재 요청이
들어온 모양이야!
어떡하지,
우리 유명인사가
될지도 몰라!

그건
안전상의 이유로
거절했네.
당국에서 취재는
받지 말라고
단단히 당부했고.

보안국으로서는
아이들에게
공을 빼앗기는 게
못마땅할 테니까.

으앙~~,
가수 데뷔의
꿈이~~.

……윽.

이제 괜찮아. 잘 견뎠다, 꼬마야!

하하, 내려도 돼.

이건 가져가군

꼬마 아니야!! 난 데스몬드 가의 남자라고!! 그런 거 하나도 안 무서워!!

좋아, 정보 통제를 해제하라.

전원 생존 확인.

베키~~~!!

……

기숙사생들도 오늘은 귀가를 허가한다.

나중에 다시 모아 진술 조사를 하겠습니다.

보호자에게 연락해서 학생들을 데리러 오도록 하십시오.

알겠습니다.

이렇게 위험한 곳에 데려올 수는 없으니까

엄마는?

집에서 걱정하고 있어. 어서 돌아가서 안심시켜 주자.

응!

아빠아~~!!

와락

으아아아아, 베키! 무사해서 다행이다!!

188

뭐…
뭐냐…?

......

괜찮아.

안 무서워.

......

뭐라고 할까, 미안했다고 할까….

그렇게 바보 취급 했는데

…너 진짜 굉장하더라.

차남도 멋있었어!!

우리 집에선
아무도 날
데리러 안 와.

나한테 아부해 봤자
우리 부모하고
친해질 순 없어….

순찰차
탈 수
있어?

집에서 마중을
못 오는 사람은
경찰이 데려다
주마.

왜, 뭐.
너희 집에서도
아무도
안 오잖아!!

뭐야!!

아냐!!!

피이이잉——

응?!

아냐…

찔리거나 총에 맞거나 부러지거나 찢어지거나 하진 않았고요?!

어디 다친 곳은 없어요?!

다친 곳은?!

뛰어온 건가…?

여기저기 찾아다니다가 사건 이야기를 듣고….

아아, 다행 이다!!

어머니!

울먹

울먹

…괜찮아….

날듯이 돌아왔는데 헛걸음을 했군 그래?

자네는 감동의 재회 안 해도 되겠나?

떠남파

보안국원들이 우글대는 이런 곳에 있기만 해도 위에 구멍이 날 것 같네요.

뭔지 몰라도 무사히 끝났다면 나는 돌아가겠습니다.

후

헉! 아버지도 와 있었어?!

팔랑팔랑

후후, 그런가.

집에 돌아가면 저 녀석이 좋아하는 음식이라도 만들어 줘야죠.

〈병원의 로이드〉도 지금 출장을 떠나 있는 타이밍이라 소식을 듣고 달려오기에는 너무 일러서 수상해 보일 테고,

어머니… 와 주신 건가요…?

아아, 다미안!! 다미안…!!

197

소식을 미처 못 들어서 늦었구나. 용서해 주렴.

무슨 소리니, 당연하지!

아아…

어머니 …!!

어…

아아, 다미안 내 귀여운 다미안

아아, 다미안 사랑하는 다미안 네게 무슨 일이 생기면 나는…

좌우간 무사해서 다행이다…!!

SPY×FAMILY 11 / END

# SPYxFAMILY
# CONFIDENTIAL FILES
# (BONUS)

# SPY×FAMILY VOL.11
# SPECIAL THANKS LIST

## ·CLASSIFIED·

### 작화 협력

| | |
|---|---|
| 키무라 사토시 님 | 노나카 카즈키 님 |
| 코니시 마후유 님 | 오자키 유이치 님 |

### 단행본 디자인

| | |
|---|---|
| 시마다 히데아키 님 | 아라카와 에리 님 |

### 단행본 편집

| |
|---|
| 야나기다 카나코 님 |

### 담당 편집

| |
|---|
| 린 시헤이 님 |

9권에서 이야기한 로봇 청소기 군이 여전히 가동하지 않고 있습니다.
스태프가 흥미로워하면서 상자에서 꺼내 시운전한 이후 움직여 보지 않았습니다.
내버려둔 채 먼지만 쌓이고 있어서 가끔 청소를 해 줍니다.

엔도 타츠야

학산코믹스
10195

# SPY×FAMILY ⑪

2023년 7월 15일 초판인쇄
2023년 7월 25일 초판발행

저  자 : Tatsuya Endo
역  자 : 서현아
발 행 인 : 정동훈
편 집 인 : 여영아
편집책임 : 황정아 장명지
미술담당 : 김홍진
발 행 처 : (주)학산문화사

서울특별시 동작구 상도로 282 학산빌딩
편집부 : 828-8988, 8842  FAX : 816-6471
영업부 : 828-8986
1995년 7월 1일 등록 제3-632호
**http://www.haksanpub.co.kr**

ISBN 979-11-411-0939-4 07650
ISBN 979-11-348-3855-3(세트)

값 6,000원